Hwyl
Gŵyl
Y Pasg

Angela Ludlow.

Darluniau
Linda Francis.

Hawlfraint y testun: Angela Ludlow.
Hawlfraint y darluniau: Linda Francis.
Cyhoeddwyd yn wreiddiol gan: Lion Publishing,
Sandy Lane West, Rhydychen, Lloegr.

Hawlfraint y testun Cymraeg: Cyhoeddiadau'r Gair. 1993.
Cyfieithu: Tudur Jones
Golygydd y testun: Elisabeth James.
Golygydd cyffredinol: Aled Davies.
Argraffwyd yng Nghymru.

I.S.B.N. 1 874410 55 0

Cyhoeddwyd gan:
Cyhoeddiadau'r Gair.
Cyngor Ysgolion Sul
Ysgol Addysg C.P.G.C.
Ffordd Deiniol,
Bangor, Gwynedd.

CYNNWYS

Meddwl am y Pasg

Efallai eich bod wedi clywed pobl yn dweud eu bod am fynd heb rywbeth dros y Grawys. Yn aml byddai pobl yn gwrthod bwyta fferins neu felysion dros y cyfnod. Ydych chi erioed wedi meddwl pam? I ddarganfod y rheswm rhaid mynd yn ôl rhyw 2000 o flynyddoedd i gyfnod Iesu.

Mae'r rhan fwyaf ohonom yn gwybod rhywbeth o hanes geni Iesu, un ai o'r ysgol, cartref neu'r capel/eglwys. (Gallwch atgoffa eich hun drwy ddarllen yr hanes yn "Hwyl Gŵyl y Nadolig" sy'n un o'r gyfres). Ond beth ddigwyddodd wedyn? Beth ddigwyddodd ar ôl i'r Iesu dyfu'n oedolyn? I ddeall ystyr y Grawys rhaid darganfod hyn.

Tarddiad y Grawys

Hyd yn oed pan oedd yn faban roedd Iesu yn arbennig. Dywed y Beibl mai Mab Duw ydoedd a'i fod wedi ei anfon i'r byd am reswm arbennig. Ond wyddai neb ddim am hyn nes bod Iesu oddeutu tri deg mlwydd oed pan ddechreuodd deithio'r wlad yn sôn am Dduw.

I baratoi ei hun ar gyfer y gwaith aeth i ffwrdd ar ei ben ei hun i'r anialwch am bedwar deg diwrnod i ddarganfod yr hyn oedd Duw am iddo ei wneud. Arhosodd gelyn Duw, Satan (neu'r diafol) hyd nes oedd ar Iesu angen bwyd a diod, ac yna ceisiodd achosi iddo fod yn anufudd i Dduw. Ond gwrthododd Iesu fod yn anufudd a throi oddi wrth Duw, felly gadawodd Satan ef.

Mae Cristnogion yn dathlu a chofio'r cyfnod hwn o bedwar deg diwrnod cyn y Pasg fel y Grawys.

Yn y Canol Oesoedd roedd y Grawys yn gyfnod i ymprydio a chadw rhag bwydydd fel cig, wyau a hufen.

Mewn sawl gwlad caiff y diwrnod cyn y Grawys ei adnabod fel *Mardi Gras* neu Ddydd Mawrth Tew. Mae eraill yn ei alw'n Ddiwrnod Crempog neu Ddydd Mawrth Ynyd. Yn ôl traddodiad dyma'r diwrnod pan fyddai pobl yn defnyddio'r holl saim yn y tŷ i wneud crempogau ac i wneud bwydydd y byddai'n rhaid gwneud hebddynt tan y Pasg.

Mae Cristnogion heddiw yn ceisio gwneud heb rywbeth er mwyn ei roi i eraill. Maent hefyd yn ceisio treulio mwy o amser yn gweddïo ac yn astudio'r Beibl - gan ddysgu a meddwl am Dduw.

Crempogau

Yr Anghenion

* powlen
* fforcen neu chwisg
* padell ffrio
* spatiwla
* plât
* 100g/4 owns o flawd codi
* pinsiaid o halen
* 1 ŵy
* tua 300ml / ½ peint o lefrith
* oel llysieuol
* menyn neu sudd lemwn, a siwgr neu driagl melyn

1. Cymysgwch y blawd â'r halen yn y bowlen. Gwnewch dwll yn y canol a thorrwch ŵy iddo. Cymysgwch â'i gilydd gan ddefnyddio fforcen neu chwisg.

2. Pan fydd y gymysgfa yn dew a hufenog ychwanegwch y llefrith gan gymysgu nes bod y cyfan fel hufen tenau.

3. Gofynnwch i oedolyn gynhesu oel mewn padell. Sychwch i adael yr wyneb wedi ei iro'n ysgafn.

Ychwanegwch lwyaid o'r gymysgedd i'r badell a'i goginio ar wres isel nes bydd y swigod ar yr wyneb yn torri. Defnyddiwch sbatiwla i droi'r crempog drosodd a'i goginio am funud neu ddau ymhellach.

Rhowch y crempogau ar blât a'u cadw o'r neilltu mewn lle cynnes hyd nes bydd y gymysgfa wedi ei defnyddio i gyd.

Maent yn flasus dros ben gydag ychydig o fenyn neu lemwn, gyda siwgwr neu driagl melyn.

Os nad yw'r badell yn rhy boeth neu'n rhy drwm efallai yr hoffech geisio taflu'r crempogau. Pan fydd un ochr wedi coginio ysgwydwch y badell i wneud yn siŵr fod y crempog yn rhydd, yna rhowch blwc i'r badell ar i fyny i droi'r crempog drosodd. Y gamp yw dal y crempog wedyn!

Bywyd Newydd

Pan ddaw'r gwanwyn i'n gwlad mae'r arwyddion o fywyd newydd i'w gweld yn amlwg o'n cwmpas. Bydd dail, blodau a'r glaswellt yn egino.

Bydd adar yn adeiladu nythod a dodwy wyau i fagu cywion. Ble bynnag yr ydych yn byw dyma ddau weithgaredd i'w cychwyn cyn y Pasg.

Tyfu planhigyn

Peth trist a marw iawn yr olwg yw hedyn. Wrth ei gladdu mae'n hawdd iawn meddwl, dyna'r diwedd! Ond wrth blannu'n ofalus bydd yr hedyn yn tyfu'n blanhigyn newydd.

Yr Anghenion

★ potyn blodau neu bot plastig â thwll yn ei waelod
★ soser
★ pridd
★ papur digon o faint i orchuddio'r potyn gorchudd plastig
★ dau neu dri hedyn

1. Llenwch botyn i'w dri chwarter gyda phridd a'i osod ar y soser. Dyfrhewch y pridd nes ei fod yn weddol llaith. Bydd y gweddill o'r dŵr yn treiddio drwy'r pridd i'r soser.

2. Rhowch yr hadau yn y pridd a'u gorchuddio â mwy o bridd.

3. Gorchuddiwch y potyn gyda phapur yn gyntaf, yna blastig. Rhowch y potyn ar sil ffenestr, nad yw'n cael gormod o haul.

4. Chwiliwch am arwydd o unrhyw newid bob rhyw ddeuddydd. Ymhen amser fe welwch egin yn ymddangos. Pan ddigwydd hyn tynnwch y papur a'r plastig i adael i'r planhigyn dyfu mewn golau.

Os cewch lwyddiant, dewiswch yr egin gorau a thorrwch y lleill. Gofalwch am y planhigyn gan ei gadw mewn digon o olau a chan gadw'r pridd yn llaith.

Beth am roi'r planhigyn yn anrheg ar Sul y Pasg?

Anrhegion siap ŵy

Mae wyau yn arwydd arall o fywyd newydd. O'r tu allan maent yn edrych mor ddi-fywyd â charreg, ond o'u mewn mae bywyd newydd yn tyfu a datblygu. Pan fydd yn barod bydd y cyw yn torri allan o'r ŵy.

Mewn amryw o wledydd caiff wyau eu peintio neu eu staenio a'u rhoi fel anrhegion adeg y Pasg. Yn rhai o wledydd Dwyrain Ewrop mae yna draddodiadau arbennig o addurno wyau. Yng ngwlad Pŵyl defnyddir patrymau geometraidd. Yn Hwngari mae'n arferol i beintio blodau coch ar gefndir gwyn. Yn Iwgoslafia caiff yr wyau eu marcio gyda'r llythrennau XV sy'n dynodi Christos vaskrese neu 'Cododd Crist'.

Rhwymwch anrhegion ar gyfer eich teulu a'ch ffrindiau yn y wyau papur hyn. Byddent wedi synnu at sut y bu i chi lwyddo i roi yr anrhegion o'u mewn.

Yr Anghenion

★ balŵn ar gyfer pob siap sydd i'w wneud
★ stribedi o bapur newydd
★ past papur wal
★ anrhegion bach i'w rhoi ym mhob balŵn
★ cortyn
★ siswrn
★ paent poster a brwsys
★ amryw o sticeri lliw

1. Rhowch anrheg ym mhob balŵn. Chwythwch bob un yn faint ŵy mawr . Clymwch gan adael hyd o gortyn yn hongian o'r balŵn.

2. Gorchuddiwch y stribedi o bapur gyda phâst papur wal a gosodwch dros bob balŵn gan eu gorchuddio'n llyfn.

Clymwch y cortyn i rhywbeth i hongian y balŵn a gadewch i sychu.

3. Ail adroddwch y broses dros bum diwrnod. Ar ôl i'r mwydion papur sychu torrwch ben y balŵn a chaewch y twll â darnau o bapur.

4. Lliwiwch y wyau yn llachar. Ar ôl iddynt sychu addurnwch ymhellach â sticeri lliw.

> **Anrhegion i'w rhoi yn yr wyau:**
> fferins/melysion
> mewn papur
> arian
> miniogwr pensiliau
> gemau, botymau neu gleiniau
> cylch allwedd
> marblis

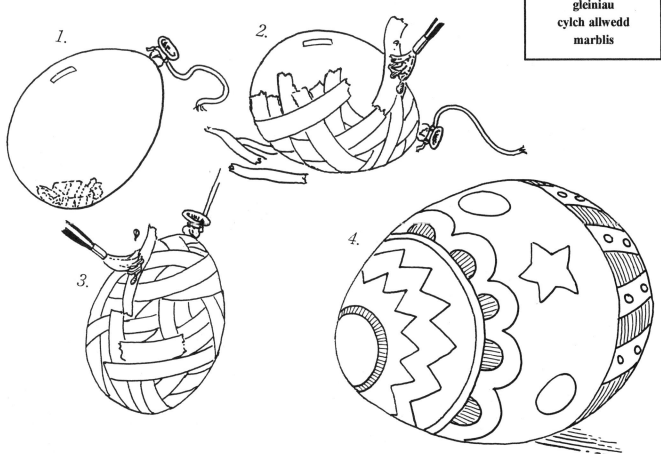

1.   *2.*   *3.*   *4.*

Diwrnod i'r Mamau

Ar un adeg roedd pedwerydd Sul y Grawys yn ddiwrnod pan âi pobl i addoli i'r brif eglwys yn eu plwyf, sef y fam eglwys. Câi gweision a gweinyddesau ifainc ddiwrnod rhydd er mwyn gallu mynd i'w heglwysi cartref. Yn aml byddent yn mynd â theisen, neu flodau gartref yn anrheg i'w mamau. Trodd y diwrnod yn ddathliad teuluol - Sul i'r Mamau.

Yn ddiweddarach awgrymodd Americanes o'r enw Anna Jarvis y dylai un diwrnod y flwyddyn gael ei neilltuo ar gyfer mamau. Roedd y syniad yn apelio at eraill. Felly dewiswyd y pedwerydd Sul ym mis Mai. Ymhen amser galwyd y dydd hwn yn Sul y Mamau. Beth bynnag yw'r dyddiad mae'n braf cael cyfle arbennig i ddiolch i'n mamau.

Hambwrdd Brecwast

Gwnewch orchudd hambwrdd a napcyn arbennig ar gyfer mynd â'i hoff brecwast, i'ch mam.

Yr Anghenion

★ hambwrdd
★ papur gwyrdd, digon, a pheth drosodd, i orchuddio'r hambwrdd.
★ papur lliw 60cm sgwâr

★ siswrn
★ cwmpawd a phensil neu blât crwn
★ glud
★ peniau lliw

1. Torrwch ddarn o bapur gwyrdd i ffitio'r hambwrdd. Rhowch o'r neilltu.

2. Gan ddefnyddio cwmpawd neu blât lluniwch hanner cylch ar bapur gwyrdd gyda diamedr o thua 25cm.

Torrwch allan, gwnewch yn gôn a rhowch o'r neilltu.

3. Gwnewch lun o flodyn ar y papur lliw a thorrwch allan. Defnyddiwch beniau lliw i addurno'r blodyn â'r brigerynau.

4. Plygwch y blodyn fel bod yr ochr addurnedig am i fewn. Rholiwch yn siap côn a rhowch yn y côn gwyrdd i edrych fel blaguryn.

5. Tynnwch lun o flodau llai a'u haddurno fel y cyntaf. Torrwch nhw allan a'u gludo mewn patrwm arbennig ar bapur gwyrdd yr hambwrdd.

Cerdyn blodyn

Blodau yw'r anrheg mwyaf poblogaidd ar Sul y Mamau. Mae'r cerdyn blodyn hwn yn dod â'i goesyn ei hun a gellir ei osod ynghanol blodau go iawn.

Yr Anghenion

★ papur. tua 5cm wrth 50cm
★ paent
★ beiro
★ tâp gludiog
★ glud
★ dau bren lolipop.

1. Lliwiwch un ochr i'r papur. Lliwiwch y rhan isaf yr ochr hir yn felyn, a'r gweddill mewn lliw blodyn o'ch dewis.

2. Trowch y cerdyn drosodd ac ysgrifennu neges ar y rhan uchaf.

3. Plygwch y papur yn ôl a blaen ar ffurf consertina. Gludiwch y rhan isaf (melyn) ynghau gyda thâp gludiog, a chadw'r gweddill wedi ei blygu.

4. Lliwiwch y preniau lolipop yn wyrdd. Gludiwch y ddau, un bob ochr i'r papur consertina. Ni ddylent gyffwrdd â'r rhan melyn a dylent wthio allan yn y pen arall.

5. Rhowch yr anrheg wedi ei gau. Mae'n agor wrth dynnu'r ddau bren mewn cylch nes eu bod yn cyffwrdd, a'r blodyn papur yn agor fel ffan.

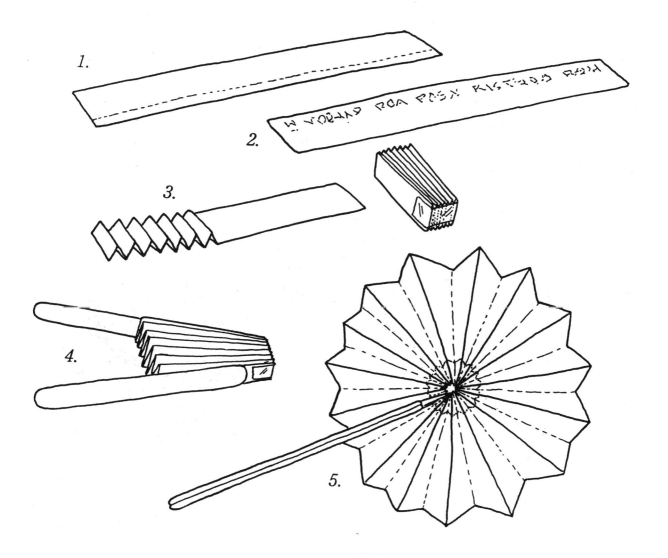

Anrhegion i Mam

Tusw Carnasiwn

Mewn rhai gwledydd mae'n draddodiad gan rhai pobl i wisgo carnasiwn mewn parch i'w mamau.

Yr Anghenion

★ tair hances bapur fach
★ darn bach o weiren blodau
★ darn bach o bapur gwyrdd
★ doili bapur
★ glud
★ siswrn

1. Rhowch dair hances bapur ar ben ei gilydd. Plygwch ar ffurf consertina. Plygwch yn ei hanner.

2. Trowch y weiren yn dynn am y gwaelod. Defnyddiwch siswrn i dwtio'r pen a thynnwch y papur allan yn ofalus i ffurfio petalau'r blodau.

3. Torrwch ddail o bapur gwyrdd a'u gludio o gylch canol y doili bapur.

4. Gwthiwch y weiren drwy ganol y doili a'i phlygu hi i adael handlen fach. Trowch y gweddill o gylch gwaelod y tusw i'w ddal yn ei le.

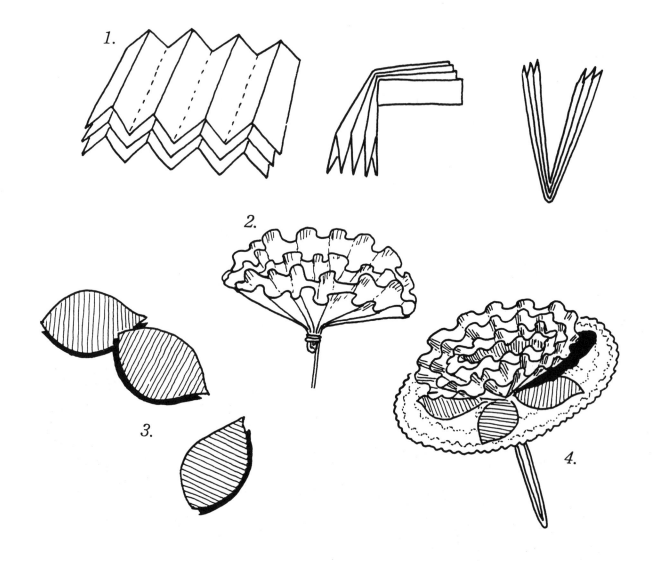

Blychau cadw trefn

Pan fydd eich mam yn ymlacio ar Sul y Mamau gallech wneud blychau cadw trefn i gadw'r pethau hynny sydd, yn amlach na pheidio, yn cael eu gadael yn blith drafflith ymhobman.

Yr Anghenion

★ blychau gwag o wahanol faint
★ blwch bâs
★ paent
★ glud

1. Trefnwch y bocsys o wahanol faint yn nifer o adrannau oddi mewn i'r bocs bâs.

2. Tynnwch nhw allan a'u peintio nhw ar y tu alla, gan gynnwys y bocs bâs.

3. Rhowch glud ar waelod pob blwch a'i gludio yn eu lle.

Y peth defnyddiol wrth gwrs yw trefnu eich pethau fel nad ydynt ar draws pob man a bod modd cael hyd iddynt!

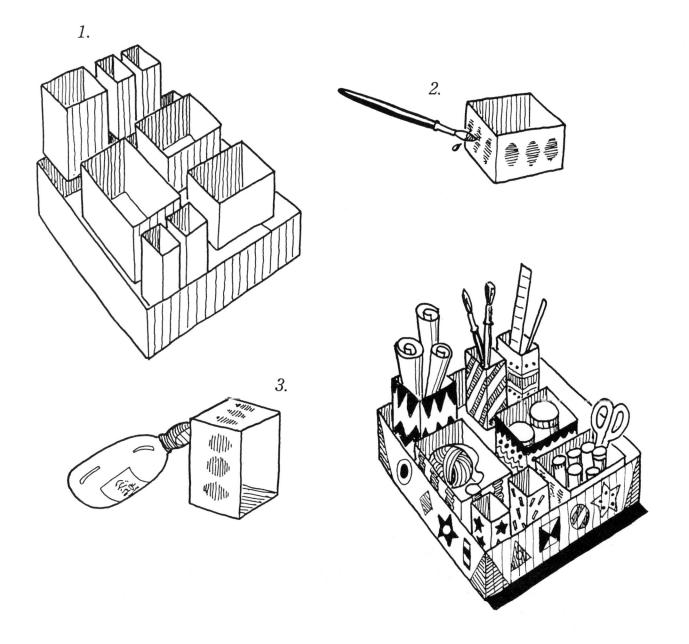

1.

2.

3.

Anrhegion i'w Bwyta

Teisennau Coconyt

Yr Anghenion

★ powlen
★ llwy i gymysgu
★ pren rholio
★ 100g/4 owns o gaws hufenog
★ 1 llwy bwdin o fêl
★ 100g/4 owns o fisgedi *digestive*
★ coconyt disych

1. Cymysgwch y caws hufenog a'r mêl â'i gilydd. I hwyluso'r broses gallech ychwanegu diferyn neu ddau o lefrith.

2. Rhowch y bisgedi mewn powlen arall a'u malu'n fân gyda phren rholio.

3. Cymysgwch y caws a'r bisgedi.

4. Gwnewch beli bach o'r gymysgedd a'u trochi yn y coconyt.

5. Rhowch yn yr oergell i sefydlu.

Bwytewch y rhaino fewn deuddydd.

Melysion Miwseli

Yr Anghenion

★ sospan fach
★ llwy fwrdd
★ cesys papur

★ 100g/4 owns o fenyn
★ 4 llwy fwrdd o sudd melyn
★ 2 lwy fwrdd o bowdwr coco
★ 200g/8 owns o fiwseli.

1. Toddwch y menyn a'r sudd gyda'r coco mewn sospan a gadewch i ferwi.

2. Tynnwch oddi ar y gwres ac ychwanegwch y grawnfwyd a'i gymysg.

3. Ffurfiwch yn beli drwy ei wasgu i lwy fwrdd. Rhowch nhw mewn cesys papur, a'u rhoi yn yr oergell am rai oriau.

Mintys poethion melys

Yr Anghenion

* ★ powlen
* ★ llwy i gymysgu
* ★ rhidyll
* ★ 350g/12 owns o siwgwr eisin, a pheth yn fwy
* ★ 1 gwynwy
* ★ hylif mintys
* ★ pren rholio
* ★ torrwr siapiau
* ★ hambwrdd pobi
* ★ papur gwrth-saim

1. Rhidyllwch y siwgwr eisin i fowlen. Ychwanegwch y gwynwy ac ychydig ddafnau o hylif mintys. Cymysgwch nes ei fod yn bast trwchus.

2. Ysgeintiwch y siwgwr eisin sy'n weddill ar fwrdd glân a rholiwch y toes i drwch o thua 5mm.

3. Torrwch siapiau gwahanol ohono a'u rhoi ar bapur gwrth-saim ar hambwrdd pobi. Ailadroddwch y broses hyd nes bod y toes sy'n weddill wedi ei ddefnyddio i gyd.

4. Gadewch y mintys i'r naill ochr am ddiwrnod i sychu.

Awgrymiadau i gogyddion

Os ydych am goginio gofynnwch i oedolyn am ganiatâd.
Golchwch eich dwylo bob tro cyn dechrau coginio.
Peidiwch â defnyddio ffwrn os nad oes oedolyn
wrth law i helpu.
Cofiwch glirio popeth ar ôl gorffen coginio.
Peidiwch â gadael y
golchi i rywun arall i'w wneud.

Sul y Blodau

Mae wythnos y Pasg yn dechrau gyda diwrnod o ddathlu a adwaenir gan Gristnogion fel Sul y Blodau; Sul pan gofir am achlysur arbennig ym mywyd Iesu.

Ar ôl tair blynedd o deithio'r wlad yn iacháu cleifion a phregethu am fawredd Duw, daeth Iesu'n gymeriad adnabyddus a phoblogaidd iawn. I ba le bynnag yr âi roedd miloedd yn tyrru i wrando arno'n siarad. Ond roedd rhai yn casáu yr hyn a wnai - yn arbennig felly yr arweinwyr crefyddol. Roeddynt yn genfigennus o'i boblogrwydd gan ei fod yn cyflwyno syniadau newydd.

Ymunodd Iesu a'r disgyblion gyda'r tyrfaoedd a oedd yn mynd i ddathlu Gŵyl y Bara Croyw; ble roedd ei elynion yn cynllwynio i'w ladd.

Cyn mynd i mewn i Jerwsalem anfonodd Iesu ei ddisgyblion i nôl asyn, iddo gael ei farchogaeth i'r ddinas. Roedd yn ebol asyn heb gael ei farchogaeth o'r blaen ond bodlonodd i Iesu eistedd ar ei gefn. Dechreuodd y bobl a welodd Iesu weiddi a chlodfori. Efallai mai dyma'r amser pan byddai Iesu yn cyhoeddi ei hun yn frenin etholedig Duw, ac y byddai yn arwain byddin yn erbyn y Rhufeiniaid, arweinwyr y wlad. Ond roedd yn marchogaeth asyn - arwydd ei fod yn dod mewn heddwch.

Gwaeddodd pawb mewn llawenydd. Croesawyd ef fel brenin. Rhoddodd rhai eu mentyll ar y ffordd o'i flaen fel carped. Torrodd eraill ganghennau palmwydd a'u chwifio fel baneri. Dyma ddechrau'r wythnos bwysicaf mewn hanes.

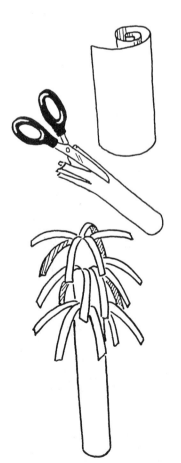

Coed palmwydd

Ar hyd a lled y byd cynhelir gwasanaethau arbennig ar Sul y Blodau. Caiff rhai eglwysi eu haddurno â dail palmwydd tra mewn eglwysi eraill caiff croesau o balmwydd eu rhannu i'r gynulleidfa. Yng ngwledydd y Gogledd, lle nad oes coed palmwydd yn tyfu, defnyddir canghennau o goed bytholwyrdd a brigau helygen neu gollen.

Beth am i chi wneud eich coeden balmwydd bersonol?

Yr Anghenion

★ papur o leiaf 15cm wrth 30cm

★ siswrn

★ glud

1. Gwnewch diwb o'r papur ar hyd yr ochr gulaf. Gludiwch i'w dal yn ei lle.

2. Torrwch i lawr un rhan o dair o un ochr.

3. Tynnwch y papur yn ofalus o ganol y tiwb. Trowch y darnau toredig ar i lawr i greu dail palmwydd.

Asyn o blethiad

Yr Anghenion

★ gwlân neu gordyn
★ siswrn

1. Torrwch naw darn o wlân/gordyn tua 60cm o hyd.

2. Trefnwch y gwlân/cordyn yn grwpiau o dri a rhowch gwlwm yn un pen. Yna, plethwch. Gwnewch gwlwm ar ben dau o'r plethiadau. Gwnewch gwlwm ychydig gentimedrau o'r pen.

Datodwch yr hyn sy'n weddill a rhannwch yr edau'n ddau. Plethwch y rhain a'u clymu ar y pen.

3. Plygwch y plethiadau bach yn eu hôl i wneud clustiau. Plygwch y plethiad mawr yn ei ôl i wneud y pen a rhwymwch yn ei le gyda darn o wlân/gordyn.

4. Trefnwch y tri phlethiad fel bod y pen ar ben y ddau arall fydd yn gwneud y coesau. Rhwymwch mwy o wlân am y canol i wneud y corff.

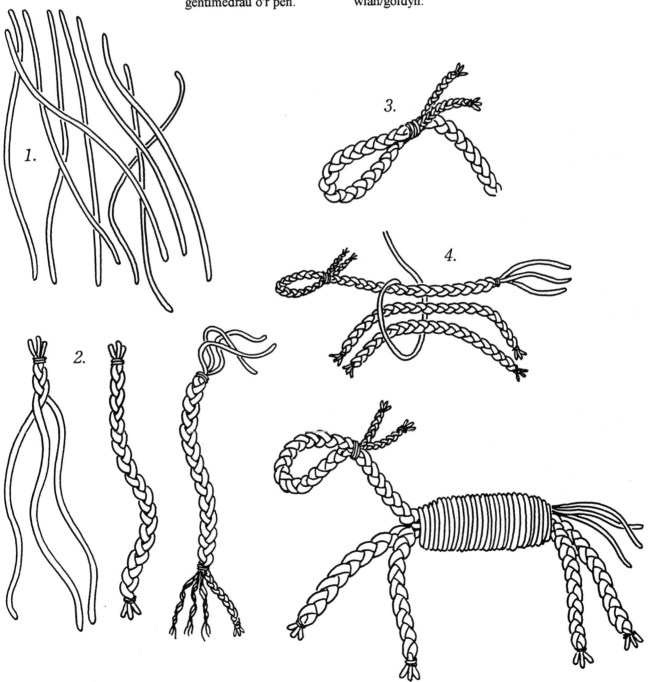

Amseroedd Tywyll

Roedd digwyddiadau gorfoleddus Sul y Blodau yn profi bod llawer yn credu bod Iesu yn Fab Duw; yr un fyddai'n eu hachub. Ond roedd rhywbeth ar dro. Cynllwyn i gael ei wared, a hynny o blith yr arweinwyr crefyddol. Eto, roedd rhaid iddynt gael cymorth rhywun iddo gael ei arestio, pan nad oedd tryrfa o'i gwmpas. Jwdas Iscariot, fyddai'r dyn hwnnw.

Ar y Nos Fawrth dathlodd Iesu Wyl y Bara Croyw drwy gael swper arbennig gyda'i ddisgyblion. Achlysur a ddylai fod wedi bod yn hapus, ond wrth iddynt eistedd roedd newyddion trist yn eu disgwyl. Dywedodd Iesu wrthynt ei fod yn gwybod bod un ohonynt am ei fradychu. Cododd Jwdas ac aeth allan. Wedi iddo adael cymerodd Iesu dorth o fara, ei bendithio a'i rhannu rhwng y disgyblion gan ddweud y byddai ei gorff hefyd, fel y bara, yn cael ei dorri cyn hir. Yn yr un modd cymerodd win, ei fendithio a'i roi i'r disgyblion gan ddweud y byddai ei waed hefyd, cyn hir, yn llifo fel y gwin; a'r cyfan er eu mwyn.

Dywedwyd llawer wrthynt y noson honno nad oeddynt i'w lawn ddeall tan yn ddiweddarach. Ceisiodd esbonio y byddai'n marw yn fuan, ac yna'n atgyfodi ond allen nhw ddim derbyn hyn. Awgrymodd Pedr y byddai'n well ganddo ef farw cyn gweld Iesu'n cael unrhyw niwed. Ond dywedodd Iesu wrtho y byddai cyn toriad gwawr yn gwadu iddo erioed ei adnabod.

Yn ddiweddarach y noson honno aeth Iesu i ardd Gethsemane, ei hoff lecyn.

Gwyddai ei fod bellach wedi ei fradychu ac y byddai cyn hir yn cael ei roi i farwolaeth. Gweddïodd Iesu ar Dduw i fod gydag ef trwy'r digwyddiadau erchyll oedd yn ei wynebu.

Yn sydyn, daeth swn ac ymddangosodd milwyr arfog o ganol y coed tywyll. Camodd Jwdas at Iesu a rhoddodd gusan iddo fel arwydd i'r milwyr mai hwn oedd y dyn roeddynt am ei ddal. Mewn ymgais i'w harbed gafaelodd Pedr mewn cleddyf a thorri clust un o'r milwyr. Nid oedd Iesu am weld unrhyw drais, felly dywedodd wrth Pedr am gadw ei gleddyf, ac iachaodd anaf y milwr. Arweinwyd Iesu i ffwrdd i fynd o flaen y Llys Iddewig. Er bod y tystion yn anghytuno cafwyd Iesu yn euog o droseddau yn erbyn Duw.

Dydd Iau Cablyd

Yn ystod swper arbennig Gŵyl y Bara Croyw rhoddodd Iesu orchymyn newydd i'r disgyblion garu ei gilydd. Golchodd draed y disgyblion, gwaith gweision fel arfer, fel arwydd o'i ostyngeiddrwydd.

Mae'r enw 'Dydd Iau Cablyd' yn tarddu o'r gair Lladin *mandatum* sef 'gorchymyn'.

Bore Gwener arweiniwyd Iesu at yr ymerawdwr Rhufeinig, Pilat, i hwnnw gytuno i'w ddedfrydu i farwolaeth. Ond allai Pilat mo'i gael yn euog o unrhyw drosedd Rhufeinig felly cynigodd i'w ryddhau.

Ond roedd yr arweinwyr crefyddol wedi tywys cefnogwyr gyda hwy i amgylchynu cartref swyddogol Pilat. Unwaith y cyhoeddodd ei fod am ryddhau Iesu, gwaeddodd y dorf 'Croeshoelier ef!, Croeshoelier ef!' Ceisiodd Pilat eilwaith ei ryddhau gan ei bod hi'n Ŵyl y Bara Croyw. Gwaeddodd y dorf am Barabbas, y llofrudd. Rhaid oedd i'r Iesu farw. Gan fod arno ofn terfysg cydsyniodd Pilat.

Felly, croeshoeliwyd Iesu. Wrth hongian ar y groes mewn poen arteithiol gofynnodd Iesu i Dduw faddau i'r dynion hynny oedd wedi ei roi yno.

Pan fu farw Iesu ysgwydwyd yr wlad gan ddaeargryn a mynegodd un o'r milwyr Rhufeinig a'i gwelodd yn marw mai Iesu oedd Mab Duw.

Trefnodd dau o ffrindiau Iesu i'w gladdu mewn ogof, a rhoddwyd carreg fawr ar draws ceg yr ogof i'w chau.

Dydd Gwener y Groglith

Ar ddydd Gwener y Groglith bydd Cristnogion yn cofio'r dydd Gwener y croeshoeliwyd Iesu.

Yn yr Almaen rhoddir i'r diwrnod yr enw 'Dydd Gwener Tawel' ac yng Ngroeg 'Dydd Gwener Sanctaidd'.

Yn y Saesneg rhoddir yr enw *Good Friday* ar y diwrnod. Yn sicr 'doedd dim yn dda am farwolaeth Iesu, os mai dyma oedd diwedd yr hanes. Ond daliwch ymlaen i ddarllen: mae mwy i'r stori na hyn...

Bara heb furum

Fel arfer gwneir bara gan ddefnyddio burum. mae'r burum yn creu swigod o aer yn y toes, ac felly'n chwyddo, gan wneud y does yn ysgafn ac fel sbwng. Ond mae'n cymryd amser i hyn ddigwydd. O'i gymharu mae bara heb furum yn wastad a chaled.

Yr Anghenion

★ powlen
★ hambwrdd pobi
★ oel
★ 250g/8 owns o flawd plaen
★ halen
★ llefrith
★ llwy i gymysgu

1. Gofynnwch i oedolyn gynhesu'r popty i 180°C.

2. Cymysgwch y blawd â'r halen. Ychwanegwch ddigon o lefrith i wneud toes.

3. Irwch yr hambwrdd pobi.

4. Ffurfiwch y toes yn beli bach a'u gosod ar yr hambwrdd pobi.

5. Pobwch am tua 15 munud. Rhaid bwyta'r bara yma pan fydd yn ffres gan ei fod yn mynd yn galetach o'i adael.

Mae Iesu'n fyw!

Sul y Pasg

Drannoeth, ar y Sadwrn roedd hi'n Sabbath yr Iddewon, pryd nad oedd neb yn cael gweithio na theithio. Felly yng ngwyll y bore bach, fore Sul aeth merched a fu'n ffrindiau â Iesu, at y bedd. Roeddynt, yn ôl traddodiad, am eneinio'r corff. Er mwyn mynd i mewn i'r ogof byddai rhaid tynnu'r garreg oddi ar geg yr ogof. Sut oedden nhw am wneud hyn?

Wrth nesu at y bedd, er mawr syndod iddynt, roedd y garreg wedi ei symud yn barod. Wrth edrych i mewn gwelsant angel a ddywedodd wrthynt fod Iesu'n fyw. Roeddynt wedi eu dychryn gan yr hyn a welsant. Chwiliodd un ohonynt, Mair Magdalen, ymhobman am y corff. Gwelodd ddyn, a meddyliodd mai'r garddwr oedd, ac aeth ato i ofyn iddo a wyddai ef beth oedd wedi digwydd. Atebodd y dyn ag un gair: 'Mair'. Adnabu'r llais ar unwaith. Iesu ydoedd. Roedd E'n fyw.

Mae Iesu'n fyw! Bu ei ffrindiau yn ei glodfori gan ddweud 'Haleliwia' - Clod i Dduw.

Felly trodd tristwch dydd Gwener y Groglith yn llawenydd. Bu farw Iesu ac atgyfododd i roi maddeuant a bywyd newydd i'r rhai sy'n fodlon derbyn ei rodd: dyna rywbeth gwerth ei ddathlu.

Gardd y Pasg

Yr Anghenion

★ caead bocs bâs
★ cerrig
★ mwsogl neu frethyn gwyrdd
★ cwpan wŷ neu llestr blodau bach
★ blodau

1. Trefnwch y cerrig yn glwstwr yng nghaead y bocs bâs, gydag ogof fach ar y gwaelod a lle ar ei ben i roicwpan ŵy neu llestr blodau.

2. Trefnwch y mwsogl neu frethyn ar y cerrig fel glaswellt.

3. Dewiswch garreg fwy a chron i'w rhoi ar geg yr ogof. Gosodwch yn ei lle fel bod ceg yr ogof yn agored.

4. Rhowch ddŵr yn y llestr blodau a threfnwch flodau ynddo. (Os nad oes gennych flodau go iawn gwnewch flodau papur fel y rhai ar gyfer tusw Sul y Mamau.) Gosodwch y llestr yn y llestr ar ben y clwstwr o gerrig.

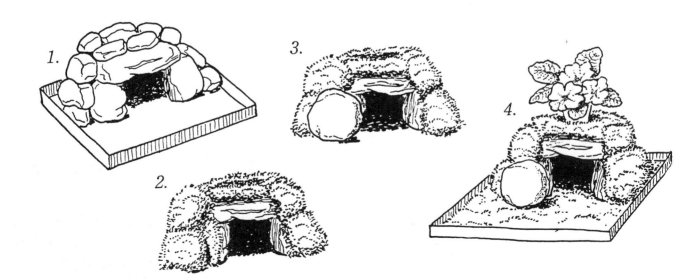

Cerdyn y Pasg

Yr Anghenion

★ cerdyn tenau, 10cm wrth 29cm.
★ craeonau
★ pren mesur

1. Plygwch y cerdyn fel yn y darlun. Tynnwch lun o ŵy ar y ddau wyneb blaen. Lliwiwch yn llachar.

2. Agorwch y cerdyn, tynnwch lun o gyw ac ysgrifennwch gyfarchiad.

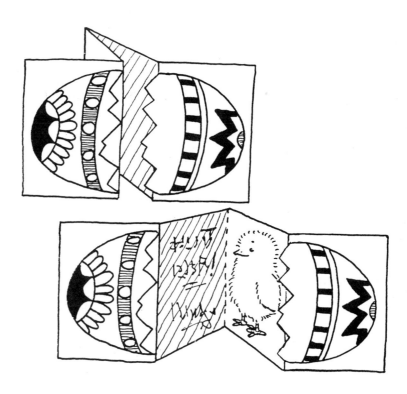

Nythod Pasg

Yr Anghenion

★ 100g/4 owns o siocled 225g/8 owns o
★ rawnfwyd brecwast
★ cesys papur
★ sospan
★ llwy de
★ powlen gwrthwres i
★ fynd tu mewn i'r sospan. llwy i gymysgu
★ wyau siocled neu wyau
★ siwgwr bach

1. Llenwch y sospan i oddeutu ei chwarter gyda dŵr. Rhowch y bowlen i mewn i'r sospan fel na fydd y dŵr yn gorlifo.

Gofynnwch i oedolyn ferwi'r dŵr a'i roi o'r neilltu nes bydd ei angen.

2. Rhowch y bowlen yn y dŵr a thorri'r siocled i mewn iddi. Peidiwch â gadael i ddŵr fynd i'r siocled. Gadewch i'r siocled feddalu ac ychwanegwch y grawn-fwyd, a'i gymysgu'n dda. (Os oes gennych feicrodon gallwch roi'r siocled mewn powlen blastig neu botyn a'i gynhesu ar wres canolog am 10 eiliad ar y tro, nes bydd wedi toddi'n gyfangwbl.)

3. Rhowch ddwy neu dair llwyaid o siocled ym mhob cas siocled a phwyso ei ben yn y canol i greu siâp nyth. Gadewch i oeri.

4. Llenwch y nythod ag wyau bach.

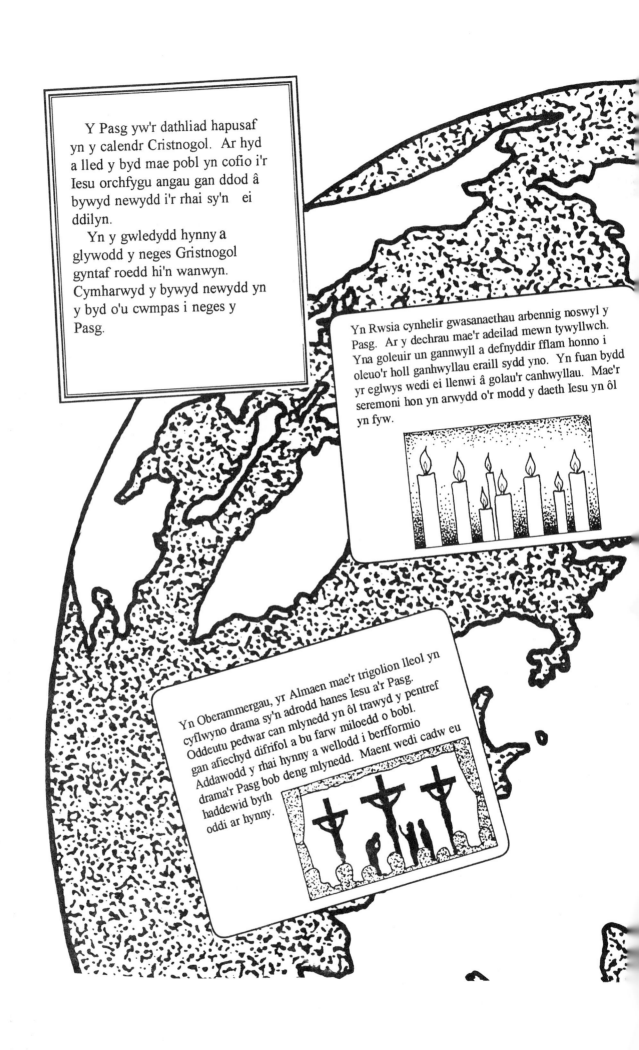

Y Pasg yw'r dathliad hapusaf yn y calendr Cristnogol. Ar hyd a lled y byd mae pobl yn cofio i'r Iesu orchfygu angau gan ddod â bywyd newydd i'r rhai sy'n ei ddilyn.

Yn y gwledydd hynny a glywodd y neges Gristnogol gyntaf roedd hi'n wanwyn. Cymharwyd y bywyd newydd yn y byd o'u cwmpas i neges y Pasg.

Yn Rwsia cynhelir gwasanaethau arbennig noswyl y Pasg. Ar y dechrau mae'r adeilad mewn tywyllwch. Yna goleuir un gannwyll a defnyddir fflam honno i oleuo'r holl ganhwyllau eraill sydd yno. Yn fuan bydd yr eglwys wedi ei llenwi â golau'r canhwyllau. Mae'r seremoni hon yn arwydd o'r modd y daeth Iesu yn ôl yn fyw.

Yn Oberammergau, yr Almaen mae'r trigolion lleol yn cyflwyno drama sy'n adrodd hanes Iesu a'r Pasg. Oddeutu pedwar can mlynedd yn ôl trawyd y pentref gan afiechyd difrifol a bu farw miloedd o bobl. Addawodd y rhai hynny a wellodd i berfformio drama'r Pasg bob deng mlynedd. Maent wedi cadw eu haddewid byth oddi ar hynny.

Dathliadau'r Pasg

Yng Ngogledd America bydd llawer o bobl yn mynd i wasanaeth eglwysig. Mae'r gwasanaeth yn dechrau a hithau'n dal yn dywyll. Wrth i'r haul godi bydd golau yn llifo i mewn i'r eglwys drwy'r ffenestri lliw gan atgoffa'r bobl bod Iesu, Goleuni'r Byd, wedi atgyfodi. Weithiau bydd pobl o wahanol eglwysi yn cwrdd ar lan llyn ar doriad gwawr.

Yng ngwlad Pwyl caiff y bwrdd ei baratoi â bwyd am y diwrnod cyfan, fel bod pawb yn cael bwyta pryd y mynnant. Addurnir y bwrdd â dail gwyrdd a weithiau rhoddir oen a siwgr ar ei ganol.

Mewn nifer o wledydd Ewropeaidd mae'r enw am y Pasg yn tarddu o'r gair *Passover* sef gŵyl Iddewig bwysig - Gŵyl y Bara Croyw.

Denmarc	:	Paaske
Ffrainc	:	Pâques
Yr Iseldiroedd	:	Pasen
Yr Eidal	:	Pasqua
Sbaen	:	Pascua
Sweden	:	Pask
Cymru	:	Pasg

Parti Pasg

Dros y blynyddoedd mae llawer wedi mwynhau chwaraeon sy'n ymwneud â'r Pasg.

Gellwch ddefnyddio rhai ohonynt mewn parti Pasg.

Helfa Ŵy Pasg

Mae'r arferiad o roi wyau adeg y Pasg yn mynd yn ôl i ddyddiau cyn Crist. Maent yn dathlu bywyd newydd mewn natur ac yn arwydd o'r bywyd newydd yng Nghrist.

Gellwch guddio wyau siocled bach â ffoil amdanynt mewn amryw o leoedd o gwmpas y tŷ. Meddyliwch am y lleoedd hynny lle byddai iâr yn debygol o guddio i ddodwy ei hwyau, tu allan.

Rholio Wyau

Mewn nifer o wledydd mae'r arferiad o rolio wyau i lawr llethrau yn boblogaidd dros ben. Bob Pasg cynhelir cystadleuaeth rholio wyau yng ngerddi'r Tŷ Gwyn, cartref Arlywydd Unol Daleithiau'r America.

Defnyddiwch wyau wedi eu berwi'n galed. Saif pawb mewn llinell syth gan ollwng yr ŵy a'i adael i redeg i lawr y llethr. Hwnnw fydd yn mynd bellaf fydd yn ennill.

Cnocio wyau

Beth am weld pwy sydd â'r ŵy caletaf? Mae dau berson yn cnocio eu hwyau yn erbyn ei gilydd i geisio gweld pwy sydd â'r wyau caletaf. Cofiwch ddefnyddio wyau wedi eu berwi'n galed!

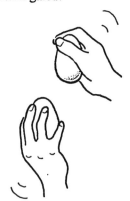

Taflu wyau

Mae i bob cystadleuydd un ŵy. Y gamp yw taflu'r ŵy i'r awyr a'i ddal. Y cyntaf i ollwng yr ŵy fydd yn colli.

Beth am dyfu berwr i wneud eich brechdannau'n fwy blasus?

Hadau Alffaffa

1. Gwnewch dyllau mewn caead jar jam gwag.

2. Llenwch y jar â dŵr a rhowch yr hadau yn y dŵr.

3. Rhowch y caead yn ei ôl a'i droi â'i ben i lawr i adael y dŵr i redeg allan.

4. Ailadroddwch y broses am dridiau a dylai'r hadau egino a thyfu.

Defnyddiwch yr wyau i wneud brechdanau. Malwch yr wyau a'u cymysgu â halen ac ychydig o laeth, iogwrt neu mayonnaise

Hadau Berwr

1. Rhowch damaid o bapur amsugno neu hances bapur llaith mewn caead. Gwasgarwch hadau berwr arno.

2. Gwnewch yn siŵr fod y papur amsugno yn aros yn llaith ond heb fod yn rhy wlyb.

3. Mae hadau berwr yn cymryd tua 10 diwrnod i dyfu.

Hetiau Pasg

Arferai pobl wisgo dillad newydd yn ystod y Pasg gan gynnwys hetiau gwreiddiol a diddorol.

Het Gennin Pedr

1. Torrwch ddarn o bapur trwchus i'r siap a welir yn y llun.

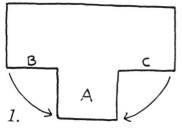

2. Gludiwch yr ochrau â'i gilydd i ffurfio bonet.

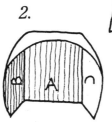

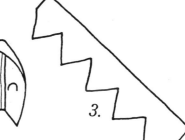

3. Torrwch ddarn o bapur hyd blaen y bonet a'i gludio yn ei lle.

Bonet blodau

1. Torrwch gylch o ddarn o gerdyn tew. (Lluniwch gylch o gwmpas blât i gael cylch perffaith.) Torrwch hollt o'r ochr i'r canol a'i ffurfio'n gôn, fel yn y llun.

2. Gwnewch flodau o bapur sidan i addurno'r bonet.

3. Gludiwch ddarn o bapur crêp i bob ochr fel y gallwch glymu'r bonet.

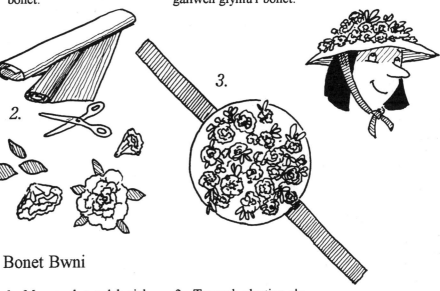

Bonet Bwni

1. Mesurwch o gylch eich pen a thorrwch stribed o bapur ychydig yn hirach.

2. Torrwch glustiau o'r cerdyn a'u gludio i'r stribed.

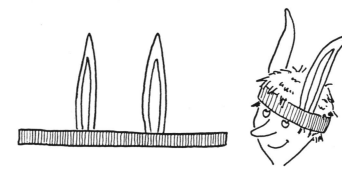

Y Sulgwyn

Am bedwar deg diwrnod ar ôl iddo atgyfodi ymddangosodd Iesu nifer o weithiau i'w ffrindiau. Profodd iddynt tu hwnt i bob amheuaeth ei fod yn fyw. Ond ar ôl hynny cymerwyd Ef i fyny i'r nefoedd. Er i Iesu ddychwelyd at ei dad yn y nefoedd ni wnaeth adael ei ddilynwyr yn unig ac ar goll. Anfonwyd yr Ysbryd Glân i'w cynnal a'u cryfhau. Gall yr Ysbryd Glân, heddiw, lenwi bobl â chariad, nerth, a bywyd newydd.

Melin wynt

Defnyddir gwynt yn aml fel symbol o nerth Duw. Gallwn weld effaith y gwynt er na allwn weld y gwynt ei hun.

Yr Anghenion

★ papur cryf, 20cm sgwâr craeonau
★ siswrn
★ pin bawd
★ botwm
★ hoelbren denau, tua
★ 40cm o hyd

1. Tynnwch lun o batrwm ar ddwy ochr y papur.

2. Torrwch y papur o'i gorneli am y canol.

3. Plygwch y corneli i'r canol fel yn y llun.

4. Rhowch y pin bawd drwy dwll botwm ac yna drwy bren yr hoelbren.

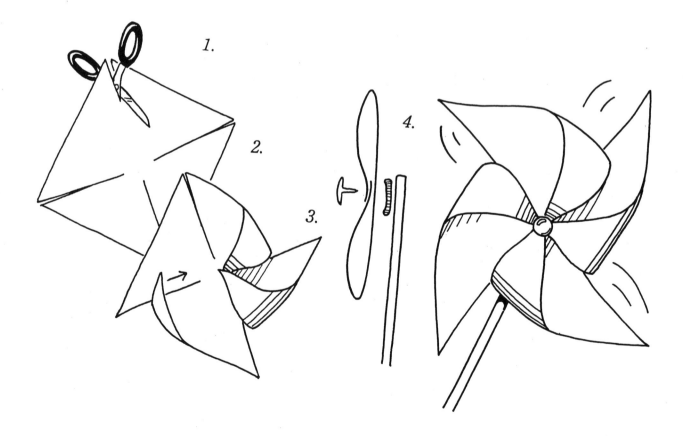